● CONTENTS ●

● CONTENTS ●

♯125 끈질긴 녀석들

"GORILLA DUNK" TAKENORI AKAGI SHOHOKU HIGH SCHOOL #4 THE MASTER OF THE "GORILLA DUNK"

당
당
당
하악
하악
북산
해남대부속
4:13
74
78
이 프리스로는
중요하다…!
앞으로 4분.
4점차….

후욱…

반드시
넣어라….

두-
웅..
!!
아악,
안돼
…!!
와아아아아
노골이다
—!!

원샷!!
웅성
웅성
웅성
웅성
웅성
웅성

후우….

왜 이리 조용한 거야….

노골이다, 야생 원숭이.

노골.

노골!!

노골!

웃샤--!!
아아--악!!
좋아, 점수차는 그대로 4점이다!
북산
4:12
해남대부속
74
2ND
78

속공!!

!!
탁
악

저 바보 녀석—!!
와아아
아얏—!!
어림없다!!
파악

트
응
!?

아니!!
나이스
플레이!!

이정환!!

끼익
!?

빠르다!!

슈팅
바삭
와아아아아
나이스 슛-!!
6점차!!
산
4:01
해남대부속
74
80
와
아앗!!
힘들게
되었군….
북산…!!

!!
우와—!
올코트
프레싱
이다!!
아직
4분이나
남았는데!!
우리에겐
끝까지
올코트로
상대할 체력이
있다!!
그 정도의
연습은
항상 하고
있지!!

자아, 단숨에 북산을 눌러 버려라!!
헉
헉
헉
시끄러!!
저아저씨―!!
타앙

왁
우와아 -
제쳤다
-!!
악
정대만,
부탁한다!!
탁
!!
악
꺄아아
아아아악.

파
앗
!!
!!
철썩
아아아아아!
대만아!!
정대만!!
와아아아아아
정대만!!

우오옷!!

와아!!
툭
좋았—
어!!

해남이 점수차를
6점으로 벌려 놓으면,
북산이 따라붙어
4점차로 되돌린다.
북산이
4점차로 만들면,
해남도 즉시
6점차로 되돌린다.

양팀 모두
한 발자국도 양보하지
않는 접전을 벌여,
점수차는 4점과 6점
사이를 왔다갔다
할뿐.
북산
2:06
84
2ND
해남대
88
은 시간은
점
줄어들어간다.

젠장.
점수차가
줄어들지
않는군!!
이 4점이
힘들어…!!
SHOHOKU
10
11
14
7

……

떼어내고
또 떼어내도
계속 따라붙고
있어…!!
정말 끈질긴
녀석들이다!!
시합종료가
가까워짐에
따라…,
그리고
남은 시간
2분.
체육관 안은
묘하게
고요해져 갔다.

SLAM
슬램덩크 완전판 프리미엄
DUNK

＃126 체력의 한계

두
앗!!
웅

휙

오!!
!!

와아아아아아아
우와아-
아!!
아아아
아,
안돼!!
우와아
아아-!!
90
대
84
!
북 산
1:41
2ND
84
해남대부속
아
아

이런 치열한 게임에서는
종반에 완전히
지쳤을 때야말로
멋진 장면이 나온다.
이 힘든 상황에서
저만큼의 플레이를
할 수 있는
이정환….
역시 무섭도록
단련된 선수다….
과연
최고
수준이야.

전반에 최고의
활약을 보였던
서태웅도 이정환
앞에선 맥을
못 추는군요.

서태웅은 아직
1학년이다….
대단한 녀석이지.
단….

이젠
체력의 한계에
부딪친 것이다….
헉
헉
헉
헉

…………

큰일이다….
시간이
없어!!
째깍
째깍
SEIKO
18'21"31

빌어먹을!! 내가 질 것 같으냐!!
질 것 같으냐!!
쿵쾅
쿵쾅
쿵쾅
파이팅!!
라스트 1분 30초!
어떻게든 이기게 해주고 싶다…
어떻게든….
……
힘내…!!
제발 힘내!!
두근
두근
두근
와아아
와아아

……

……

어쩌지…

지금은 참아라, 송태섭! 3점슛으로 쉽게 따라갈 생각은 마라!
아직 시간은 있다! 2점씩 착실히 따라붙어라.

해남도
초조한 건
마찬가지다…!

성공하면
단번에
3점차다!!
!!
기다려!
아직
이르다!!

들어가라!!
들어가!!
제발
들어가!!

짧아…
좀 더
참을 수
없었는가…!!
냐앙
와아아아!!
북 산
1:33
해남대부속
84
2ND
90
좋았어!!

KAINAN
5
4
!!
!

비켜ー!!!
북 산

콰앙
우오오오오오!!
강백호!!
백호야!!
우당탕
아니!!

우와아
아아아.

스윽
!!

파앗

내가 넌 줄
아냐!
타
앙
서태웅! 우연이든 뭐든 좋으니 골인 시켜라!!
우연 같은 게 어딨어?! 멍청아!!

우연이야..
SHOHOKU
10
SHOHOKU
우와아아아아—!!!
와아아아
해남대부속
1:24
북산
2ND
90
86
서태웅!!
멍청한 녀석….
실격이다…
와아아아아아아

잘 가라, 서태웅
나무아미타불 관세음…
티―잉
헉― 헉― 헉―
칫

타도 이정환
와아아아아아아아
하악
하악
하악
후욱

KAINAN
10
90
14
KAINAN
4

♯127 타도 이정환

하지만 녀석이 없었다면 여기까지 싸워올 수도 없었다.
역시 서태웅은 체력의 한계에 달했었어….
잘했다….
멋진 플레이였네…!!

지금부턴
동료들에게
맡기도록 하게.

꿀

서태웅…!!

젠장…!!

북산,
파이팅!!
하나만
막자!!

이정환의 몸과
부딪치지도
않았다
하지만 권준호는
그 자리에
엉덩방아를 찧을
뻔한 것을
간신히 참았다.

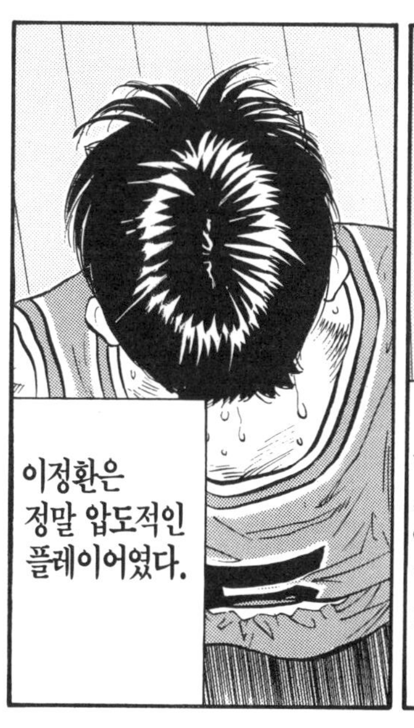
이정환은
정말 압도적인
플레이어였다.

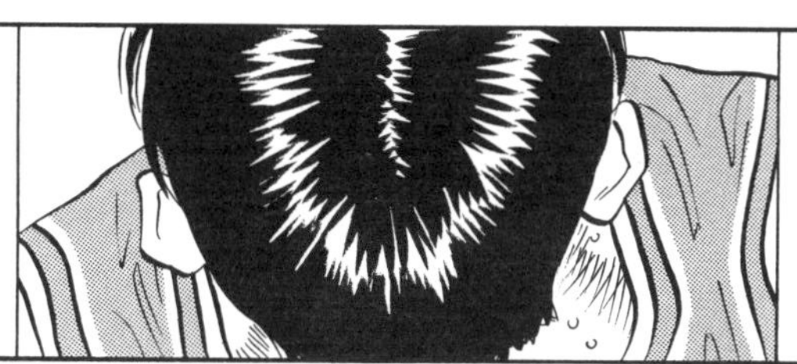
권준호는 지금
그 어떤 반응도
할 수
없었다
이정환은
훼이크를
한 번 했다.

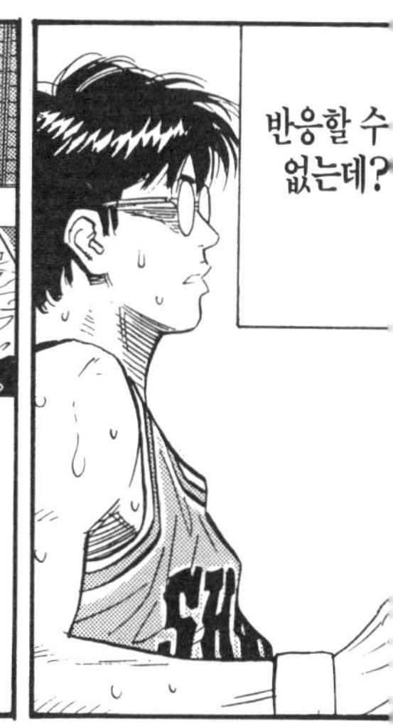
반응할 수
없는데?

그의 상대는
권준호가
아니라ㅡ.

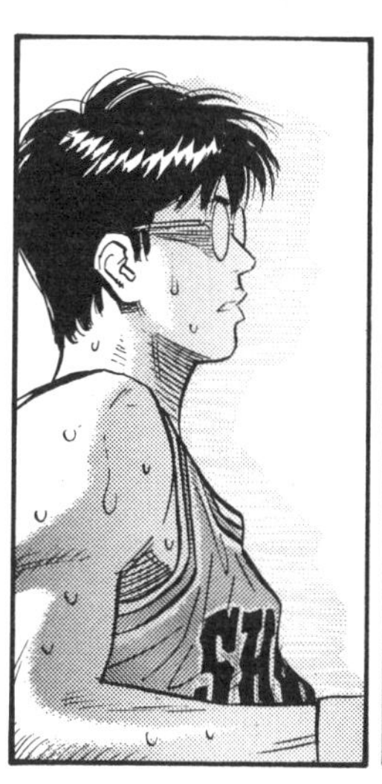

채치수였다.
!!
SHOHOKU
4

이정환,
슛해라 ㅡ!!
파
와
스
윽

고릴라
-!!
우와아아아앗!!

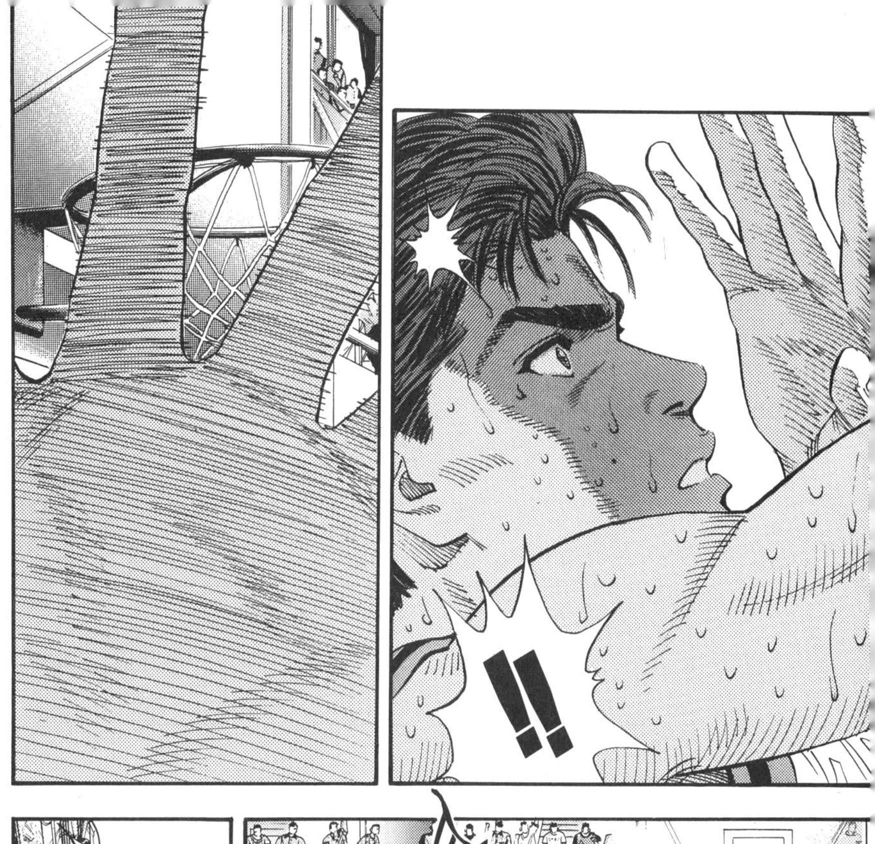
!!

이… 이게 들어가면 결정타야!!
아아아아아앗!!

리바운드다!!
빙글

와아
노골이다
-!!!

들어가는 줄
알고
간 떨어질 뻔
했잖아-!!

우와아앗
-!!!
채치수!!!
와아
절대 지지 않는다!!
제아무리 이정환이라도 난 지지 않아!!
와아아아아
치수야
-!!
선배님…!!
……

난
잘못되지
않았다.
할악
할악
할악

…………

디펜스!!
프런트
코트까지
볼을 갖고
오지 못하게
막아!!

……

쓰러뜨려라,
채치수!!

!!

뭐야?

쓰러뜨려라, 채치수!!
이정환을 쓰러 뜨리고 와라!!

능남이다!!
웅성
웅성
웅성
능남의 변덕규다!!
웅성
웅성

변덕규….

민구야!! 강백호를 마크해!!
채치수는 내가 마크한다!!
골밑으로 못 들어가게 해!!
!!

시간이
없어!!
해남대부
56
2ND

좋아…!!

앗!
이젠 1분도
안 남았다!!
강백호!
뭔가 좀
보여줘라 ―!!

애늙은이
보다야
이 녀석 쪽이
훨씬 편하지!!

웅성
웅성
착석…
덜걱
덜걱

#128 천재의 이름을 걸고

두 골이
필요해!!
50초 내로
두 골을
넣지 않으면
안돼!!
와
와
와
와
북 산
해남대부속
2ND

한 골로는
이길 수가
없단 말야!!

!!
아앗!?
욱!!

쳇!!

완벽한 수비군!
틈이 전혀
없어!!

정대만!!
!?

헉
헉
헉

대만아!!
앗

아아~앗!!
윽
!!

크…!!

포기할 수 없다!!

파
와
투
와아
아앗!!
!!
찰칵
삐익

북산 볼!!
헉 헉
윽!!

괜찮아. 힘내자, 대만아!!
미안해.

오오
두뇌 플레이!
오오
살았다!!
역시 안경은 멋으로 끼고있는 게 아니라니까!

헉 헉 헉 헉 헉
……

SHOHOKU
앞으로 45초…!!

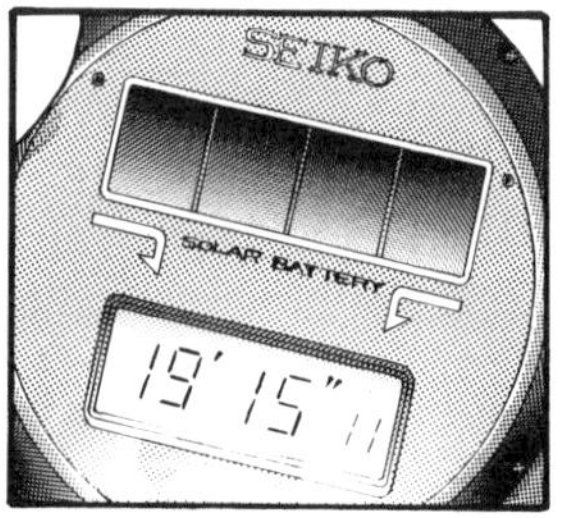
SEIKO
SOLAR BATTERY
19' 15"

정대만도 이제 한계다….

다시 한번 확인해 두겠다!!

준섭
완전히 녹초
됐지
그래도 정대만
3점슛
주의해라
예!!

전호장! 5번에게도 3점슛이 나올지 모른다. 일단 경계해라!
내가 마크하는 한 그건 있을 수 없는 일이에요!

익현아, 송태섭에게 외곽 슛은 없어!! 재빠른 속공에만 주의해라!!
알았어!!

그리고 강백호다.
민구야!!

알고 있어.

녀석을 풋내기라고 생각지 않아.
채치수 정도의 플레이어라고 생각하며 마크할 것이다.

!?

아니 …!?

임마! 이게 무슨 짓이야!?

뭐야, 아직 힘이 남아있잖아.
!

투지를
보여줘,
대만군!!

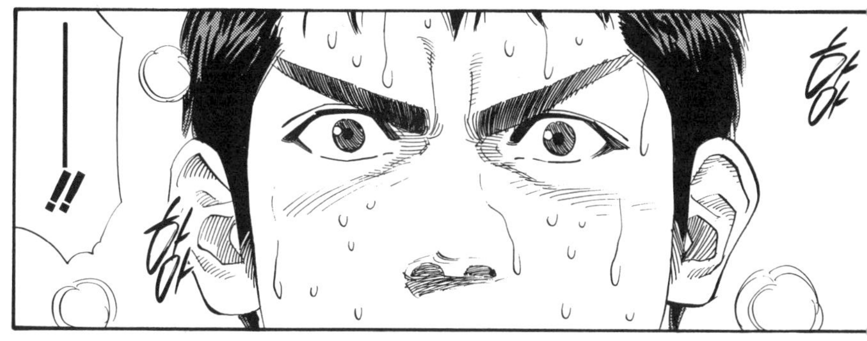
――――!!

……………!!

백호야.

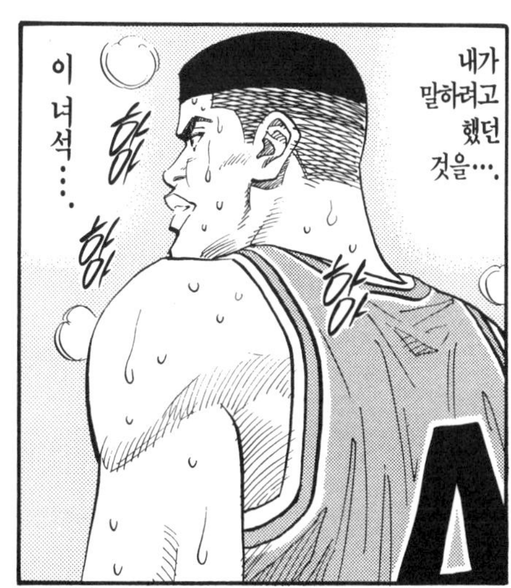
내가
말하려고
했던
것을….
이 녀석….

날 뭘로 보는 거야, 멍청한 녀석!!
헉
헉
건방진 것!
으이구….

퍼억!
우욱!!

난 '마지막까지 포기하지 않는 남자' 정대만이다!!

죽을 것 같은 얼굴을 한 주제에!
헉
헉
강백호!

명심해라….
리바운드가 승부다.

좋아…!!

채치수는 내게 맡겨라!!
골밑에선 그 녀석에게 볼이 절대 못 가게 할 것이다!!

오펜스 리바운드를 잡으면, 주저하지 말고 덩크해라!!
내가 허락한다!!

골대에서 너무 멀어
덩크할 수 없을 땐
내가 반드시 주위에
있을테니까
내게 패스해라.

채치수가
부상당했다고
생각하지 않는
편이….
KAINAN
6
4
부상?

녀석은
베스트
컨디션이다.

그런
마음가짐으로
싸울
것이다.
30

내가
성공시키겠다.

북산
볼!!
삐
삐
삑

그 정도
각오면 됐다,
정환아!

북 산
45
해남대부속
86
2ND
90

이제 북산이 할 수 있는 건 없어.
시간이 흐르는 것을 애태우며 지켜보는 것밖엔….
자아, 승부다!
좋아, 간다!!
까지
기하지 마!!
그래!!
재의
름을 걸고
가 반드시
바운드를
겠어!!

……

한골도 허용해선 안된다!!
막아!!

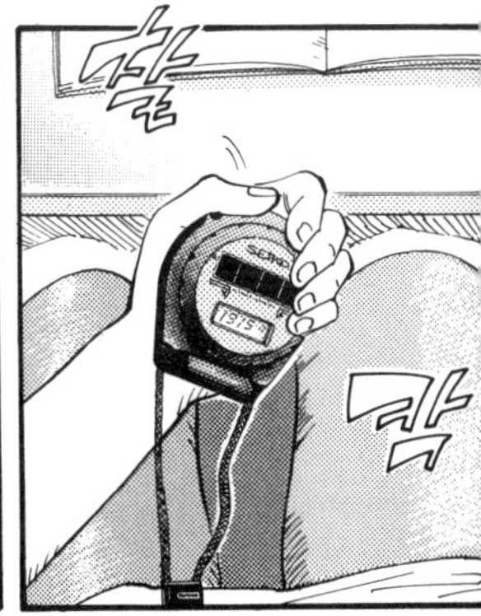

철
칵

우오오오옷!
웃!!

파울은
하지 마라,
전호장!!

송태섭!!

꼭 이기고야
말테다!!

……………

욱!!

아앗!!
빌어먹을!! 뚫을 수가 없어!!

와아
나이스 디펜스! 홍익현!!
철저히 마크해라!!

SOLAR BATTERY
19'24"
……

시간이 없어!!
슛!!

막아라!!

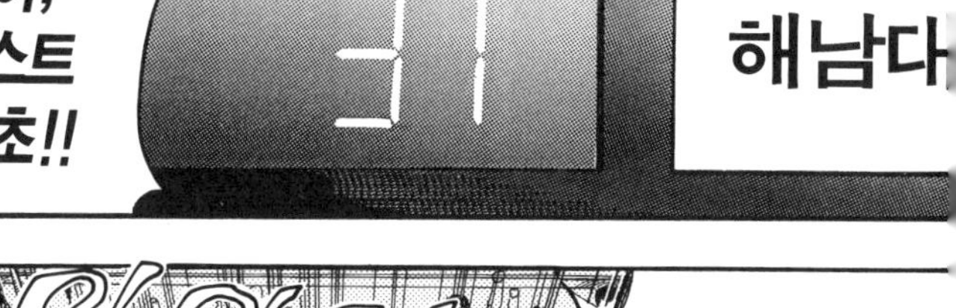
해남대
31

북 산
아아, 라스트 30초!!

와아아아
앞으로 최소한 두 골은 성공시켜야 한다구!!
어서 슛해! 쏴라!!

뭐하는
거야!
패스해!!

간다
ㅡ
ㅡ!!
저런
무모한
돌파를!!
대만아!!
!!

부탁한다!
채치수,
강백호!!
常勝
海南 高
허억
리바운드!!

26

리바운드!!
＃129
천재의 이름을 걸고 2

리바운드는
내게
맡겨라!!
KAINAN
5
10
욱!!

아무
초보자라도
채치수
수준의
플레이어라는
생각으로
마크한다!!

으윽…!!
좋은
포지션을!!

왼쪽이냐!!

오!
SENDOH

턱
욱!!
KAINAN
5
억

틀렸어!
뚫고들어갈
수가 없어!!
SHOHOKU
5

페인트!?

!!
다
다

드
읏

떨어진다.
베스트 포지션!!

KAINAN
5

좋았어!
이겼다!!
끝난
건가…?

밑을 봐!!!

!!

파

앗!!

아,
아니!?

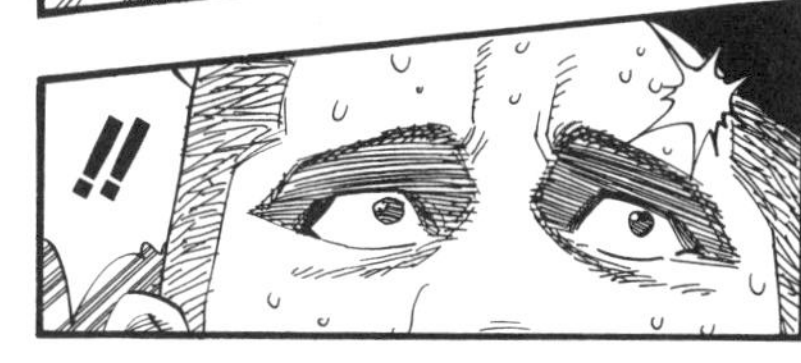
!!

하아
하아

덩
억
멋진걸!
송태섭!!
강백호!

쿠
웅
가라
!!!
훗.
21
앞으로 20초!!

!?
常
海南大附属

아니!?
멋지다!
뭐,
뭐야!?
송태섭이
가르쳐준
훼이크!!

반드시
승리한다
-!!!
우아아앗!!

백호야―!!!
늘러버려라!!

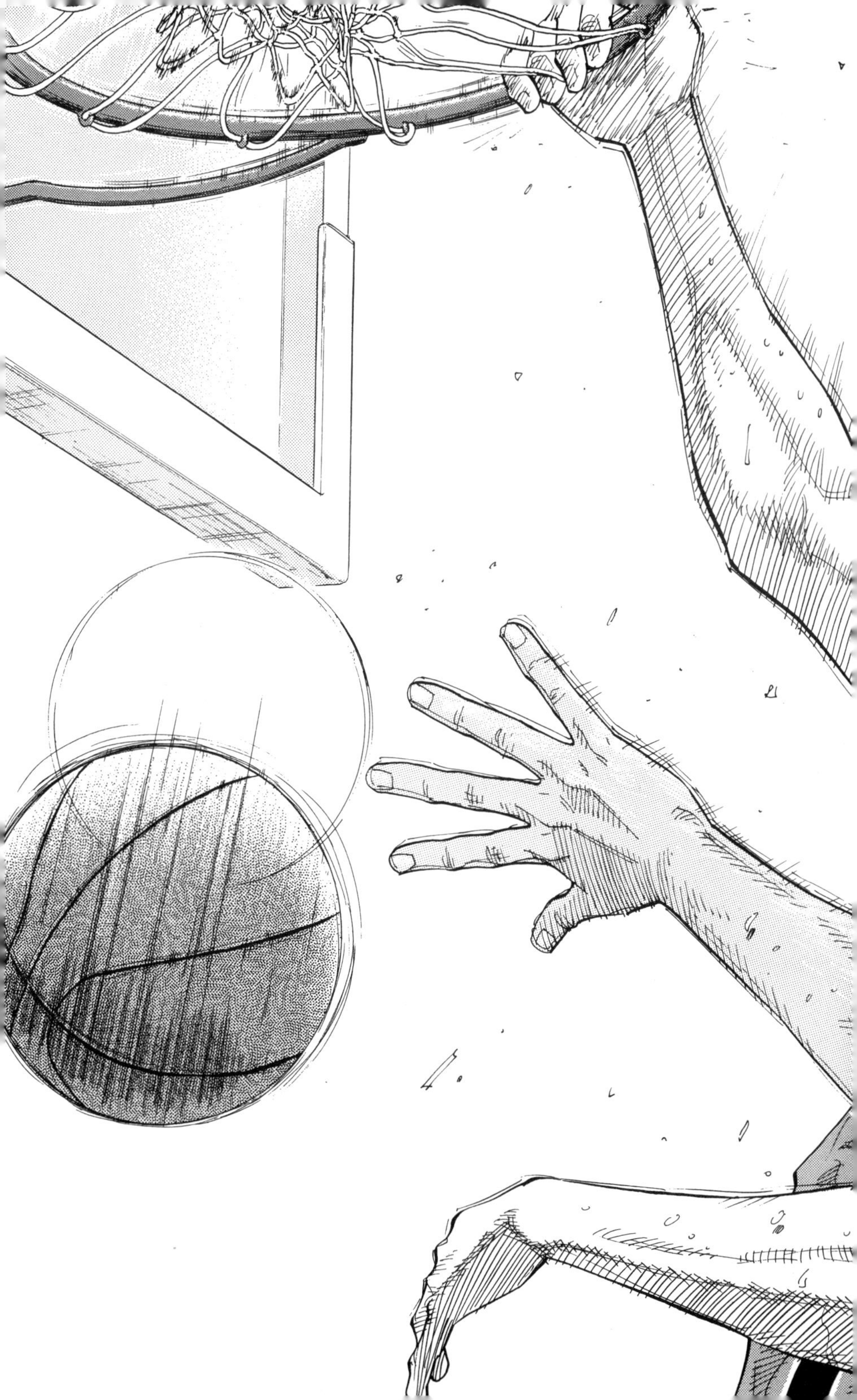

……!!
……!!
파울——!!

디펜스
파울!!

UNBELIEVABLE

쿠웅
SHOHOKU

※바스켓 카운트: 상대 팀의 파울과 동시에 슛이 들어간 경우,
그 득점이 인정되는 데다가 프리스로 1개가 주어진다.

#130 천당과 지옥

이것으로
1골차!!
와
해냈다아 ―!!!
우와아아아앗!!!
아
아
도내
넘버원
선수를!
눌러
버렸다
―!!!
아
백호야….
우린
승리할 수
있어!!!
꺄악 ―!
꺄악 ―!
꺄악 ―!
아

왁자아
……
정말
잘해줬군
뭐—,
저 정도는….
당연히 해야지…
스윽
우연히
들어간 거야!
체…!!
흑
흑
아
아
아
정말 멋졌다
강백호
리바운드를
책임진다고 해놓고,
볼엔 손도 못 대길래
실컷 때려주려고
했는데!!
네가 거기서
웨이크를
할 줄이야….
나도 예상
못했어!!
와아
아
아
아
아

하하핫!!
천재폭발!!

틀림없어!
강백호는
머지 않아,
북산의 중심이
될 것이다…!!

강백호의
저 플레이가
팀의 분위기를
바꿔놓았다.

아냐,
어쩌면….

체육관
전체 분위기
까지…!!
와아아아아아
북산,
파이팅!!
추격해라
-!!

제가 정환이형의 입장이라도 저렇게 했을걸요.
와
와

저 냉정한 이정환이 왜….
4점이나 앞서고 있었는데 파울까지 해서 저지할 필요가 있었을까….
아뇨.
와
와

기세는 북산이 완전히 역전해 버렸군.
아직 2점을 리드하고 있는 해남의 압도적 우위는 변함없지만
와
와

정말 천재!
백호형…
천재야….

저 녀석은 왠지 승부하고 싶어지게 만들거든요.

와
후-우
와
와

……

원 프리스로!!

해남대부속
19
북 산
2ND
88
90

……………
후ー유

정말 운좋게 들어간다 해도 우리가 리드하고 있다는 사실엔 변함이 없다.
은 19초 동안 을 돌리면 리는 우리 거야!!

그럼…!
백호형이 일부러
노골시키는 편이
좋지 않을까요
동점으로
만들기 위해선
그 편이….
네 말이
맞다.

꿀꺽!
노골시킨 후
리바운드
승부다.

SHOHOKU
10

난,
언제나
잠자기 전에
이 날을
상상해
왔다….

북산이 도내
왕자 해남과
전국대회
출전을
걸고
싸우는
것을
매일밤
머릿속에
그리고
있었다

1학년 때부터
계속 말이다.

간신히 잡은 찬스다…!
…
아프지 않아….
아픈가 본데
…

훗!
멍청아!!
항
항
항

항
항
항
항
항
항

고릴라가 꼭 잡아줄 거야!!

중얼 중얼 중얼 중얼 중얼 중얼 중얼 중얼 중얼
……

아…,
하느님.

SHOHOKU

정대만의
저 눈….

연장전에
들어가면
북산은 진다….
이미
체력이
바닥났어.

북 산
19
해남대부속
88
2ND

동점이라면
승부는 패배나
마찬가지.
노골이다!!

으랏차!!!

잡았다ㅡ.
아――아니?!
대만아!!
역전의 찬스는 이번밖에 없다!

아니!?
SHOHOKU

우오!
3점슛!.
SHOHOKU
14

SHOHOKU
14
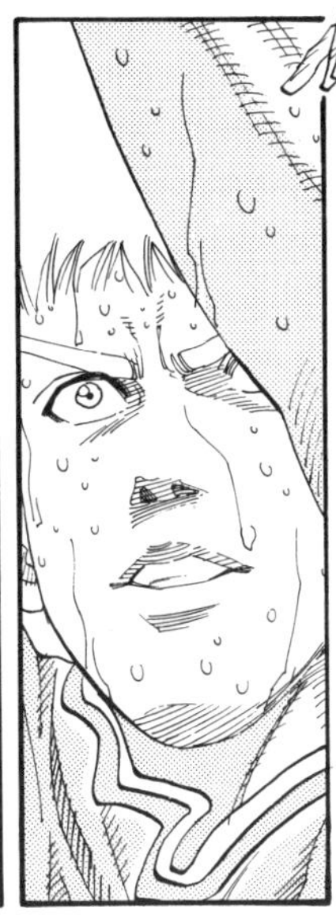
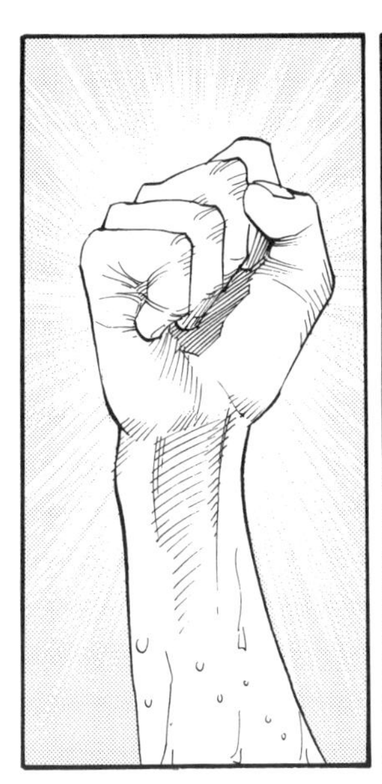

말도 안 돼…

#131 천당과 지옥 2

아
앙
!!

아니!?
이럴 수가…?

아아아!.
아
아
아
아
리바운드해라!!
10

9

탁
악
앗?!
삐..
8
히익
터엉

우오오
-옷!!!
삐
7
HOHOKU
5

!!
SHOHOKU
10
KAINAN
4

리바운드왕
강백호!!!!
산
6
해남대

와아아
고릴라!!
두
웅
해냈다!

海南大附

TAKE
JEANS
SHOHOKU
4
10

앗
?!

SHOHOKU
아ㅡ악!!

시합종료
―!!!
삐
북 산
88
2ND
0
해남대부속
90
SHOHOKU
4

와
아
아
아

아

아
아

와
아
위험했어
아
아
아
불을
건드렸었나
...
헉
헉
손톱으로만.
헉
헉
와
아
아
......
헉
헉
헉
헉
......

후우....

터 억

이것으로
끝난 게
아니다.
결승리그는
지금 막
시작했을
뿐이야.

……
KAINAN

울지 마라.

자,
양팀 모두
정렬!!

자아,
정렬이다.
와아아아

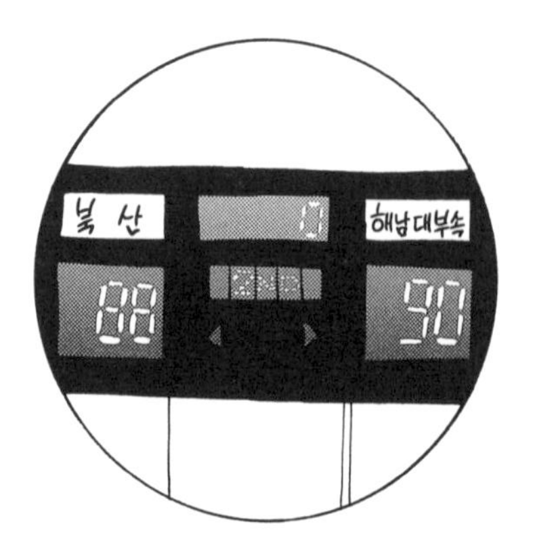

북 산
해남대부속

	해	북	능	무
해남대부속		○ 90-88		
북 산	● 88-90			
능 남				○ 117-64
무 림			● 64-117	

#132 절대절명

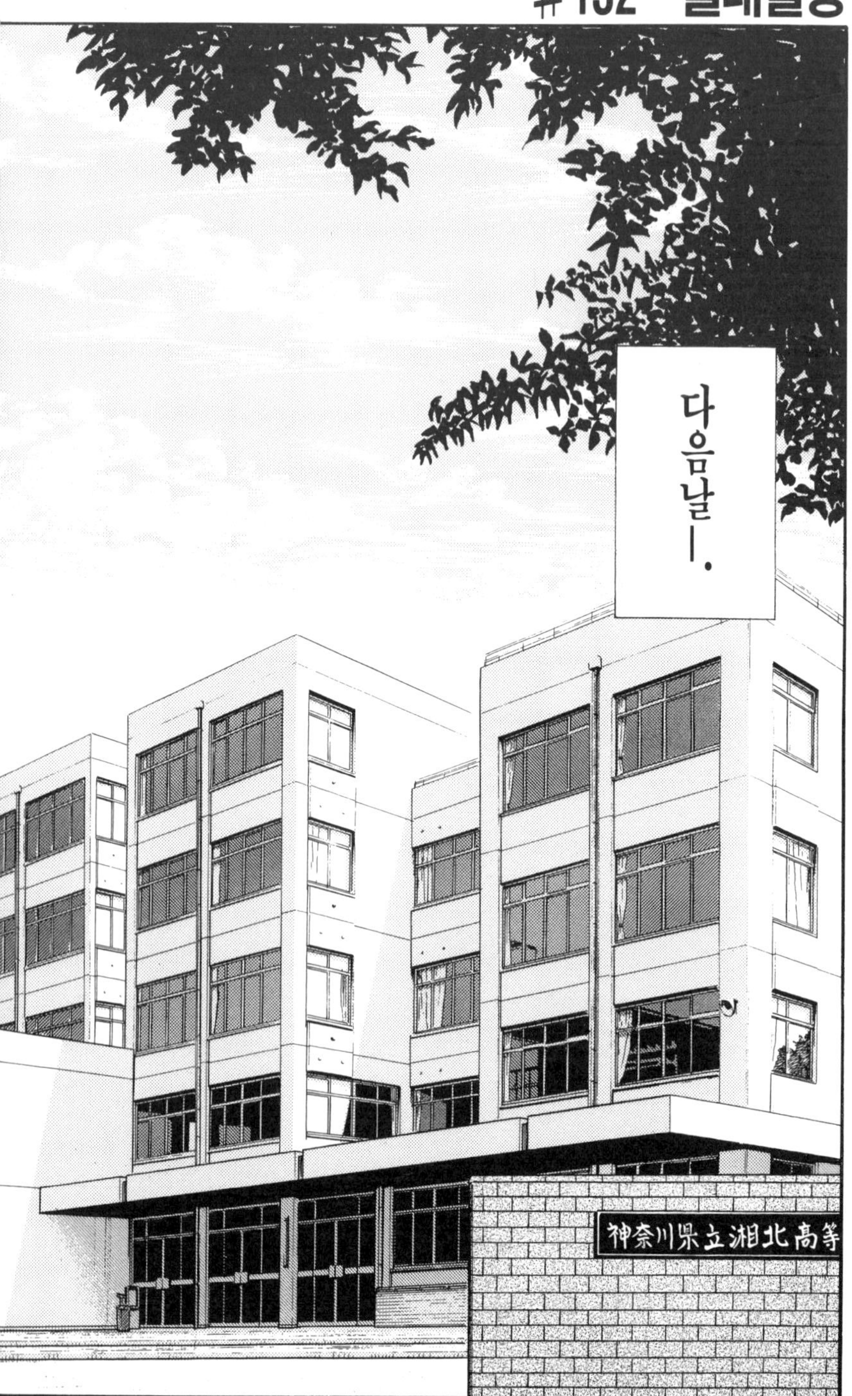

드르렁
쿨-

2 학년 1 반

쿨-
쿠-

최강의
상대였으니까.
송태섭 좀 봐.
아침부터 계속
졸고 있어.
어제 경기에서
완전히 녹초가
됐나봐.

3 학년 3 반
쯔-
쯔-

쯔-
쯔-
하지만, 너무
아까웠어.
그래….

1학년 10반
선생님, 오늘은 특별히 좀 봐주세요.
드르렁
부들부들
실히…
소 때보다
깊은 잠에
져든 것
군…!

3학년 6반
후아아아….

……

치수 뼈에 이상이 없어야 할텐데….

1학년 7반

천재
그건 그렇고….
녀석, 쇼크로 앓아 누운 건가…?
……
천재
당동
댕동
당동
방과후—

안녕하세요!
안녕하세요!
따롱
윽?!
우왓!?
소리가 작다!!
다시 해!!
한나 선배….
힘이 넘치는군요…
시무룩해 있을 시간이 없어! 알아들어?!

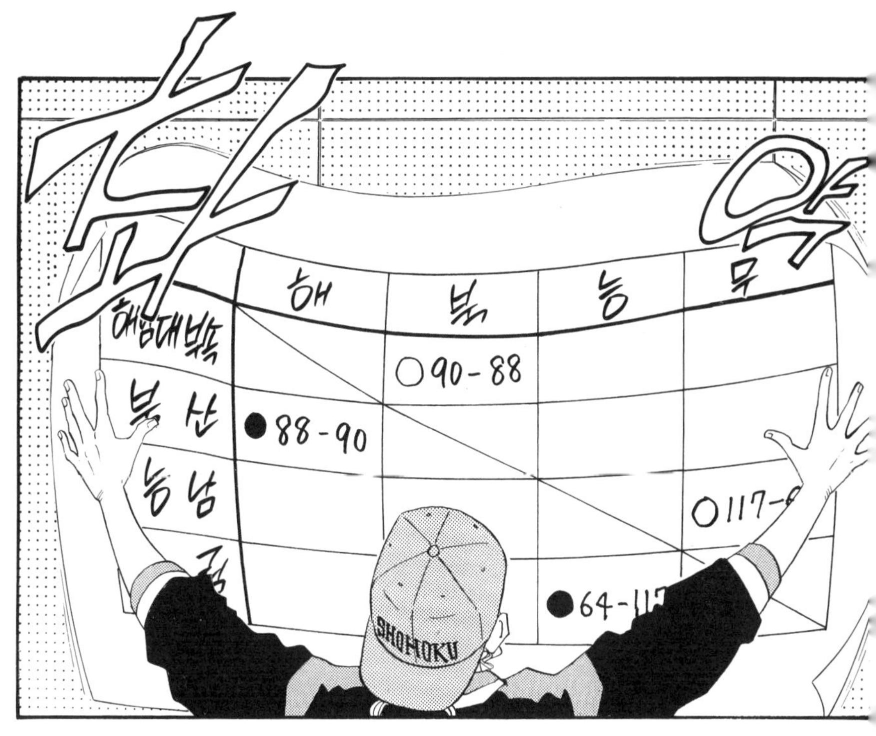

해 북 능 무
해남대부속
북산
능남
○90-88
●88-90

승부
끝난 게 아니
다음주 토요일에는 우리와 무림! 해남과 능남!!

그래. 그리고 일요일에는 해남 대 무림, 우리와 능남의 시합이 있다!!
맞아.

안녕!
응?
안녕!

소리가 작잖아!!
우욱?!

뭐…
뭐…
뭐야?!
, 선배님….
운이 없나
고….
……

멍청한 것들!
언제까지 그렇게
풀이 죽어
있을 거냐.
앞으로
두 시합이나
남았다.

우리 도에서는
두 팀이
전국대회에
나간다.
남은 2게임
모두 이겨서
2승 1패가 되면 2위
이내에 충분히
들어갈 수 있다.
멍청히 있을
여유가
없다구!

잘 알겠지,
너희들!
가능성이
있는 한
포기해선
안된다!
남은 시합은
승으로
끈다!
예…
예!!
아주 긍정적
인걸….
끄럿-!
도 잘
아들었지!

물론이죠.
패배는 한 번으로 충분해요.

아아….
그래….

맞아!
그래서!
벙글벙글
응?

이거!
두—둥
절대절명
오오오!

웃샤!

앞으로
1번이라도 지면
그걸로
마지막!
올 여름은
끝이야!!

그렇다.

!!

치수야!!
주장 –!!!

뭐냐, 치수야!
그게 없으면
걸을 수
없는 거야?!
설마 뼈에
이상이?!

배님?!
떻게 된
예요?

삐었을
뿐이야.
걱정할 것
없어!

그 목발은
뭐야?!

토요일
바
무림전
나가야하니
하루라도
빨리 낫기
위해 빌려왔다.

그렇구나
과연
불사신!!
뭐야
그땐 큰일
것처
쓰러지더니!

강백호는
어딨지?

……!!

오늘은
오지 않은 것
같은데요….

아직도
그 패스를
마음에 두고
있는 건가,
그 바보가….

……

타앙
타앙
타앙
사사삭

화아아아앙
고릴라!!
……
파앗
……
휘이이잉

안돼!
학교수업
빼먹는 건….
깜짝
!!
……
소연이가……
……
탁
앗?!
백호야!!

다 다 다 다
다 다 다 다
!!
콰당
소연아!!
아야~.
탁
탁
탁

이봐….
뭐야, 저 녀석?
아직도 있는데…?
기분 나쁜
녀석이야….
쿵…
조금
전까진
울고 있었어….
……
……

!
어제 시합
아마 평
잊을 수 없을 거

왜냐하면….

바스켓맨
강백호가…
처음으로
덩크슛을
성공시킨
시합이니까!!

…!!

"강백호 선수,
처음으로 덩크슛을
성공시킨 때는
언제입니까?"

…?

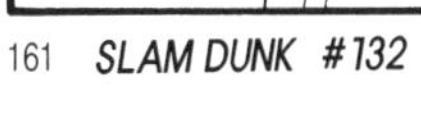

장래에 반드시
그 질문을
받게 될 거야…!!

──!!

체육관에서
기다리고
있을게.
나 연습
구경하러
갈 거야.
…………

떤
재에게도
수는 있는
이야!!

소연아—.

이봐, 잠깐
공 좀 빌려줘
응?

……

저
녀석인가…
강백호라는
녀석이….
RISING SUN

소연아
...
부들 부들

#133 책임문

강백호를.
불러와라.

뭐…?

쿠웅

"어느 놈이야? 볼일 있으면 그 녀석더러 오라고 해!" 라고 했어.
저 녀석, 엄청 무서운 놈이야.

……

"내가 한살 많으니까
네 녀석이 와라"
라고 말하고 와!
뭐-?!

퍼
억

"바보 같은 녀석
앞으로
기다려줄테니
네가 와라
라고
했어!
이제~
직접 가서
말해~!

……

……

아-아!
가버렸다….

자기가
한살이 많다나
어쨌다나….
……
자존심은
강해가지고
….

저 녀석 뭐야?
태산아!
불러와서
뭐할 셈이었어?
우리들 엄청
당했단 말야.
……

저 녀석
말야….

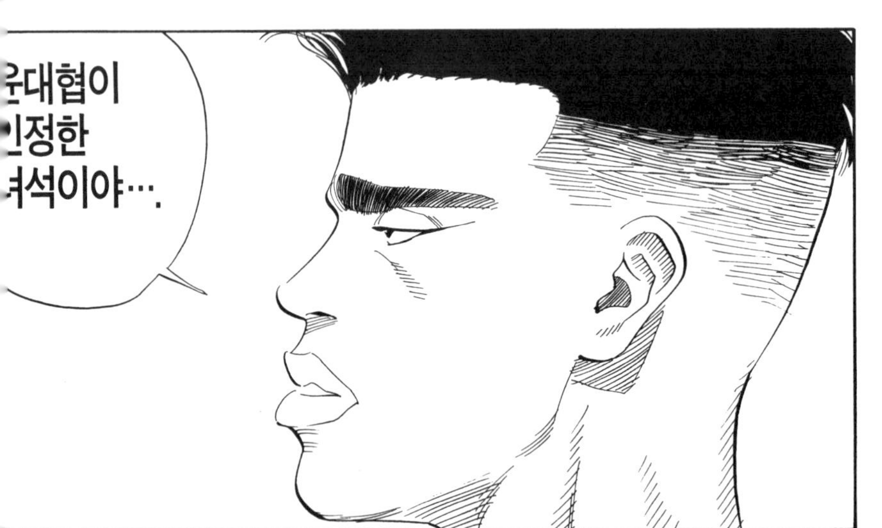
윤대협이
인정한
녀석이야….

뭐?

윤대협
이라면…
그 천재
윤대협?!

!!
우와아, 태산아!!

북산의 강백호…
한번 봐두고 싶었는데….

울룽
울룽…

神奈川県立湘北高等学校

꿍
쿵
꿍
쿵
꿍

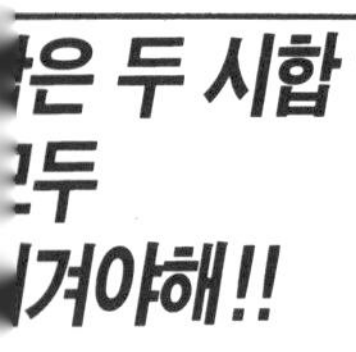
절대절명
일반부

자아,
파이팅!!
은 두 시합
두
겨야해!!

꿍
웃샤--!!
다앙
꿍
꿍
힘내자!
파이팅!
꿍
파이팅!
꿍

백호야……
아직 안 왔구나….

기다리고 있었는데 ….

철벅

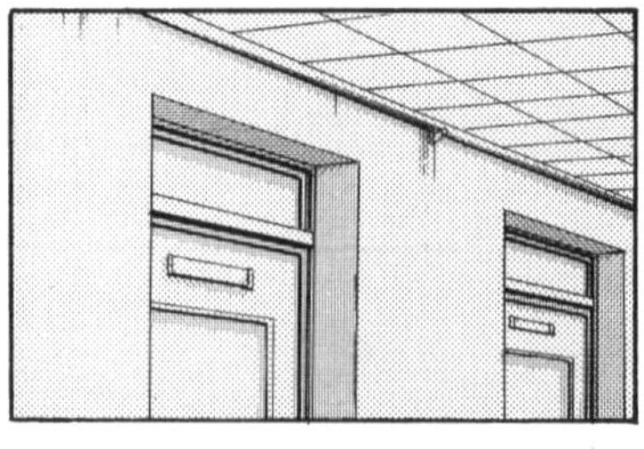

북산이…

도내 왕자
해남과
전국대회
출전을 걸고
싸우는 것을
머릿속에
그리고 있었다.

난…
난 언제나
잠자기
전에
이날을
생각해
왔다….

나 때문에
진 거야….
나
때문에….

깜짝
!!

뭐하고
있냐?
멍청아!

서태웅!!

……

철컥
……

……

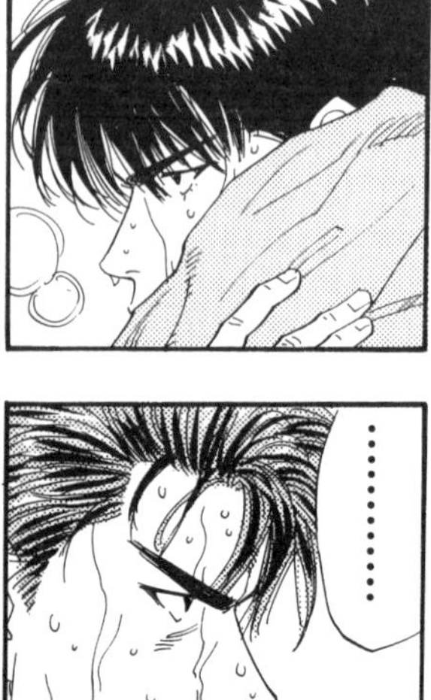
……

탕

야,
기다려….

왜 아무 말도 하지 않지?!

응?

시치미 떼지 마! 성질 못된 네 녀석이 내 실수에 대해 아무 말 안하는 게 이상해!!
동정할 생각이라면 필요없어. 그딴 것!!

동정?

……

앗?!

기다려, 똥강아지 녀석!!
서태웅!!

흥!
멍청한
녀석이….
네 녀석 때문에
졌다고
생각하는 거냐?
뭐?!

웃기지 마라,
멍청아!

어제 넌
네 실력의
몇 배나
잘해 주었어.
북산에 있어선
예상 외의
행운이었지.
뭣이?!

감독님이나
주장이
어느 정도의 기대로
널 출전시켰다고
생각하나?
그건 역시
구세주로서
…
겨우
요 정도다.
뭐야?!

기껏해야
요만큼.
……

네가 실수를
범할 건
처음부터
계산에 들어
있었다.
별로
놀라운 게
아니지.
네 실력은
아직 그
정도니까.

네 실수가
승패를
좌우하거나
하진 않아.

……

꽈악
……
욱…

이 녀석을
한주먹에
날려보낸다 해도
의미가 없어 ─!!
불끈
불끈
불끈
욱…
이 녀석을 농구로
날려보내지 않으면
의미가 없다!!

한주먹에
날려
버리겠다!!
고오오오오
내 주먹을
받아라 ─ !!

앗!
카운터…
퍼억
!!

울
울
울
울
울
울
……

에잉치!

감기냐?
아, 아니….
이상한 재채기도 다있군…
켁켁…

……….
백호가 내일은 올까….

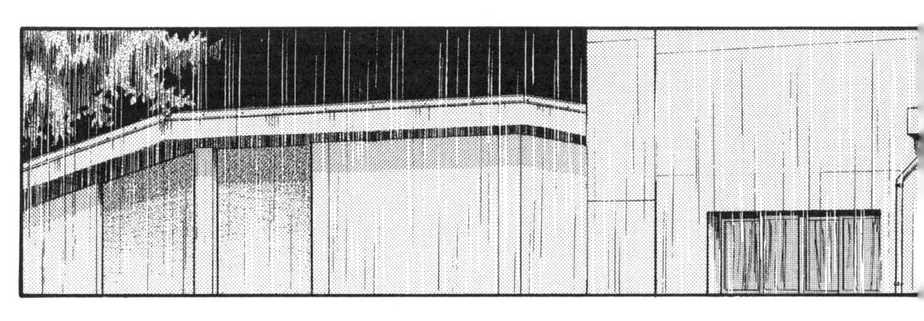

하아
하아
하아
하아
하아
하아
하아
하아
하아
하아
하아
하아

하아
하아
하아
하아

……….
하아
하아
하아
하아

?
진 건
내 책임이다….

내 체력이
마지막까지
남아있었더라면
….
졌을 거야.

이…
이…
이….

네 녀석
이야말로
웃기지
마라!
억

탓이
퍽
억
우욱!!
내 탓이야!!
두두닥
두두닥
아냐, 나야!
나다!
나다!
퍽
퍽억
두닥
두두닥
나다!
나다!

다음날—
강백호가 오늘도 학교 안 왔대!
아직 풀이 죽어있나?
걔가 그런 타입인가?
안녕하세요!
안…….

안녕ㅡ!!
늦었군!

결승리그
제 2 차전까지
앞으로 3일!!

그래?

귀엽다♡
백호야.

아이고
배아파~!

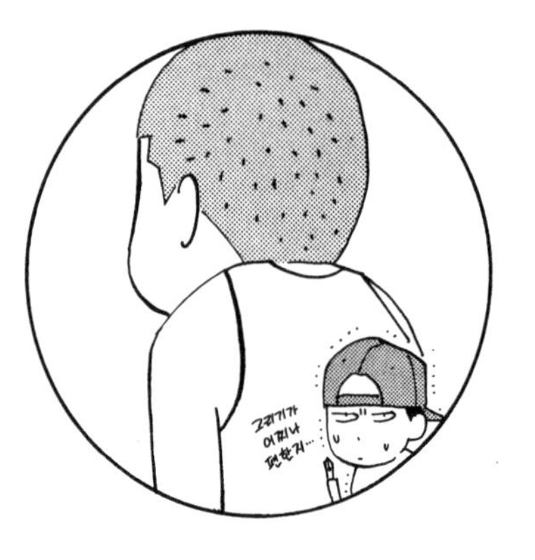
그리기가
어찌나
편한지…

덜컹
덜컹
덜컹
덜컹

덜컹
아무리 붐벼도
봉근이 네 주위는
늘 한산하구나.
그러냐?
아,
상쾌해!
아무도 접근을
못하잖아.
무서워서.
덜컹
덜컹
덜컹

아이구
두
웅

히익!
덜컹
덜컹
하하하하!
반경 2m 안으로
들어오면 어떻게
되는지 맛 좀
보여줘라!!

이번역에서
이 차에
타는 바보가
있을까?
있을 리
없지!

번쩍
뭐야?

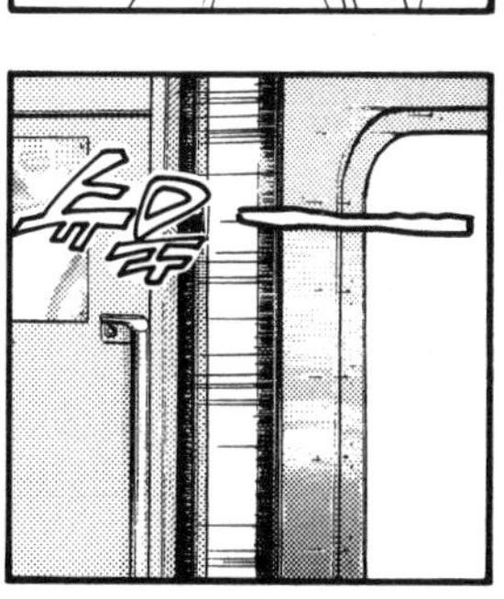
슈웅

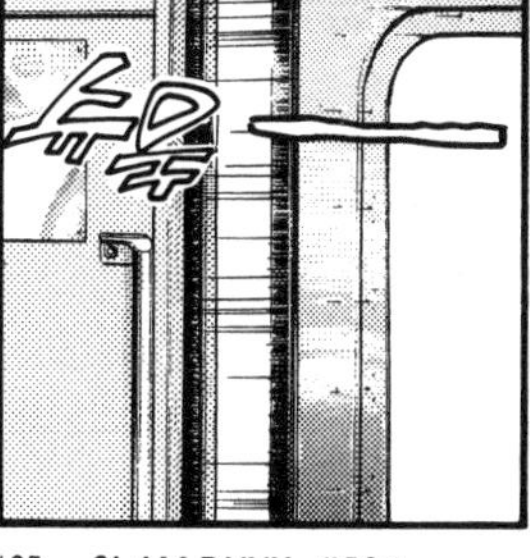

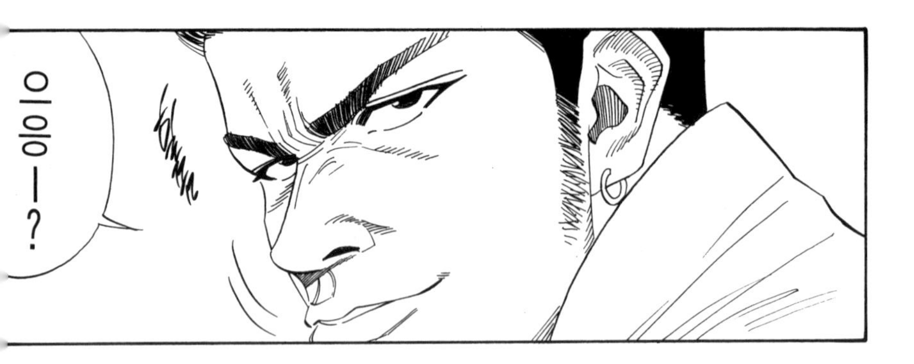
으응—?

응?
쿠——웅

!!
움찔

明日にジャンプ!!
あなたの街の
北村不動産
マイホームタウン
ゴールデンフェア実施中!!
PRINTED IN
JAPAN
CB-345 WAX
덜컹
호오~ 오늘은 텅 비었네…?
덜컹
덜컹
#134 빡빡머리의 역습

1학년 7반
웅성
웅성
웅성
술렁
술렁
술렁
술렁
술렁
술렁

술렁
술렁

저렇게 쓸데없이 험악해질 필요가 있을까…?
맞아….
웅성
웅성
빨강 빡빡머리 원숭이야….
에 나타날까
렵다….
웅성
웅성

뭔 구경거리라도 생겼냐, 너희들-!!!
드르륵
우와아악!!

하하하
완전히 화제거리가
되었구나
백호야
네 머리 말야
웅성
정말이지….
일거수 일투족을
주시받는 것이
유명인의
숙명이라지만….
평범한 인간들이
가만두질 않아…
중얼 중얼
웅성

자아, 자아
줄서요
한번 보는데
50엔!
돈을 받는
거야?!

괭장해….
무서워…
귀엽잖니♡

야,
비켜!
안
보이잖아!

우하하하하하!!
정말 멋져,
강백호!!
누구야,
쟨?

1학년 7반
강백호!!

이 놈들…
한가한 놈들…

이렇게 해서
오늘은 하루종일
구경꾼들이
끊이지 않았다.

그 머린
유도로
전향하겠다는
결의를 나타낸
것으로 봐도
되겠지?!
엉?

벌써 농구부에
가 버렸는데요….
한발 늦었단
말인가–?!

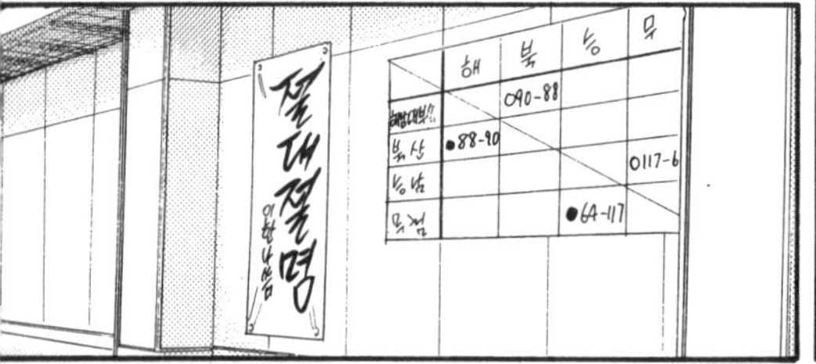
절대절명
해
북
능
무

타도 무림!!
타도 능남!!
풋내기 슛―!!
나이스 슛!!
기합이 잔뜩 들어 있구나, 강백호.
당연하죠, 한나 선배! 절대절명의 순간에 강한 사나이 강백호!
이거 한나 선배가 쓴 거예요?
응. 잘 썼지?
최고야♡

이보게,
치수군!
잠깐 잠깐

예!!

조금 무리하는 건 아닌가….
네….
기분은 알겠지만 지금은 가벼운 연습만 해두세요.

지금은 상처를 완전히 낫게 하는 게 중요해요.
무리말게!

네….

좋아―
집합!!

음―
멋진 머리가
됐군.
백호군.
응?

훗훗,
만지기도
좋고…!
!!

만지지
마세요!
감히
내
머리를
!
백호야,
그만둬!!

조금은 스포츠
다워진
같구나, 강백
핫핫핫
웃기는 걸…
웃지
마!!
자기
머리도
이상한
주제에…

내 실수로
졌으니까!!
이 정도는
어쩔 수 없지!!

훗….

그럼 5분 휴식후, 5 대 5로 시합을 하겠네.
오늘은 그것으로 연습을 끝내지.

웬일이에요, 영감님? 오늘은 연습이 너무 약하군요.
시합의 피로를 남기지 않기 위해서지.

……!!

역시!

해남전에서는 도중에 녹초가 돼서 쓸모 없었는 녀석이 있었으니까요.
하하하!
대웅이 녀석…!
당기지마~!!

팀은 1학년 대 2 · 3학년.
단, 치수는 빼고!

대만군.
네!!

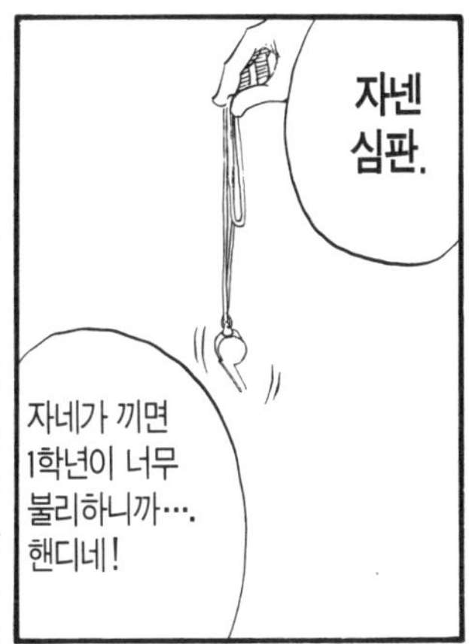
자넨 심판.
자네가 끼면 1학년이 너무 불리하니까…. 핸디네!

예….

오옷, 뭐야, 뭐야?!
웅
웅
시합이래.
1학년 대 2・3학년!

좋아 ─ 시작한다!!

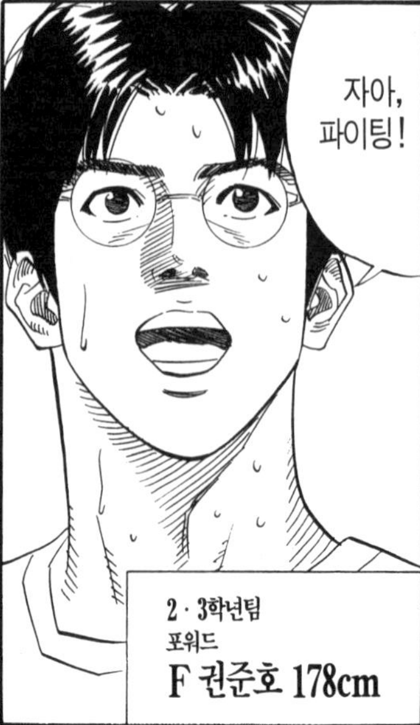
자아,
파이팅!
2 · 3학년팀
포워드
F 권준호 178cm

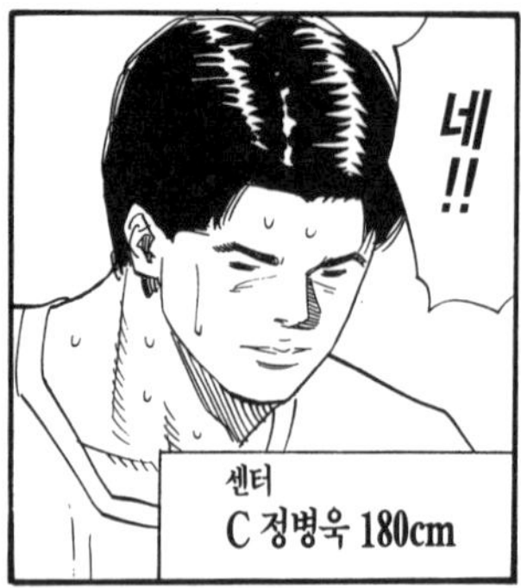
네!!
센터
C 정병욱 180cm

드
신오일 170cm

가드
G 이달재 165cm

조금 더
핸디를 줘도
되는데….
가드
G 송태섭 168cm

1학년에게 지면
팔굽혀펴기
50회다!!
파이팅!!
2·3학년
1 학년
0 14 0

말해두지만
연습이라도
난 질 생각은
없어
발목이나
잡지 마라.
1학년 팀
포워드
F 서태웅 187cm

말해두지만
네가 도중에
녹초가 돼도
교체는 없다
힘들어도
참아!
센터
C 강백호 188cm

사이좋게
좀
지내라!

너희들
둘만 있으면
어떻게든
이길 수 있을 것
같은데!!
포워드
F 이호식 170cm

게다가
저쪽엔 치수
선배랑
대만 선배도
없잖아!!
포워드
F 이재운 172cm

나머진
팀워크다!!
가드
G 오중식 163cm

파앗
웃샤!!
와앗!!

잘한다, 강백호!!
짝짝!
2·3학년
1학년
0
14
0

어마어마한
점프력이야.
저 녀석…!!

두근
두근

우와아
아앗!!

크얏!!

오오오
—!!
백호 녀석,
엄청난데!!

좋았어!!
와아아아
강백호!!
나이스
슛!

크윽!!

보인다!!
움직임이
잘 보여!!
병욱이한테는
미안한
말이지만
스피드도 파워도
느낄 수 없어!!

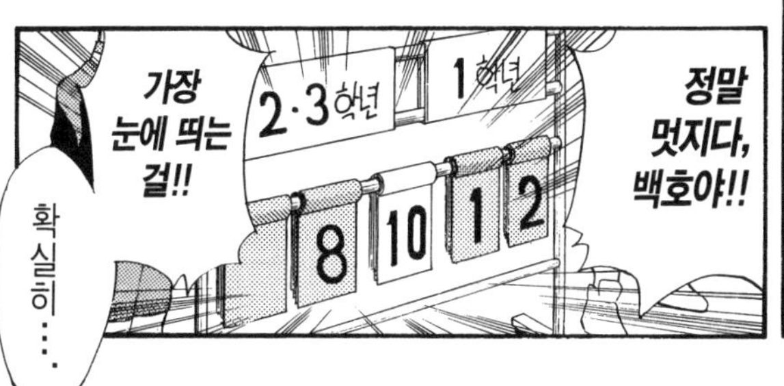
정말
멋지다,
백호야!!
1학년
2·3학년
8 10 1 2
가장
눈에 띄는
걸!!
확실히….

이정환이나 고민구, 성현준과도 힘겹지만 대결을 펼친 강백호다.
젠 병욱이 자로는 어쩔 수 는 실력을 췄어.

자네들 스타팅 멤버 이외에 백호를 막을 수 있는 사람은 없을걸세.
……!!

겨우 3개월만에 다른 부원들을 가볍게 눌러버리다니….

오옷!!

나이스 리바운드, 강백호!!

소연아~…
하지만….

이정도로 만족하면 곤란하지….
대만군.
예?
백호군을 막아줄 수 있겠나?
씩

펄럭
그렇게 하겠습니다….

SLAM
슬램덩크 완전판 프리미엄
DUNK

#135 센터 정대만

SLAM DUNK

안선생님에겐
목적이 있었다.
형욱아,
교체다!!
1
2
삐
-
익
멤버
체인지!!
……
!!
학
학 학

응?
대만 선배가 들어오는 건가….
얘기가 다르잖아
안 들어오기로 했었잖아~.

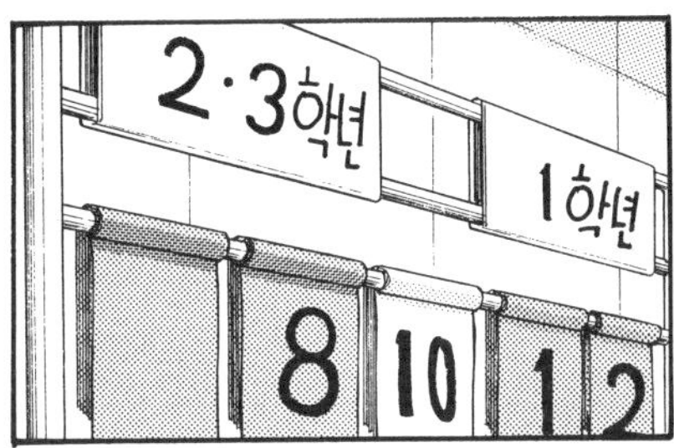
2·3학년
1학년
8
10
1
2

대만형이다!!

너희들, 뭐하고 있는 거냐?! 1학년을 상대로 한심하게!
지면 팔굽혀펴기 50회다. 알고 있겠지?!

솜씨 한번 볼까…?
흣….

이런 꼴을 보이니까 우리 북산은 선수층이 얇다, 벤치가 약하다라는 평가를 받는 거야
분하지도 않냐?
죄송해요….

하지만….
백호는
엄청난 실력을
가지고 있어….
파워―
스피드
그리고
골밑에서의
위압감….
실제로
부딪쳐보고
처음으로
알았어.
도대체
어떻게 하면
불과 몇개월만에
저렇게
성장할 수
있는지….
2·3

저 녀석, 엄청난
그릇일지도
모르겠어…!!
……

내가 센터를 맡는다.
간다!

호오… 정대만!

이 천재를 막을 수 있다고 생각하는 거냐…?

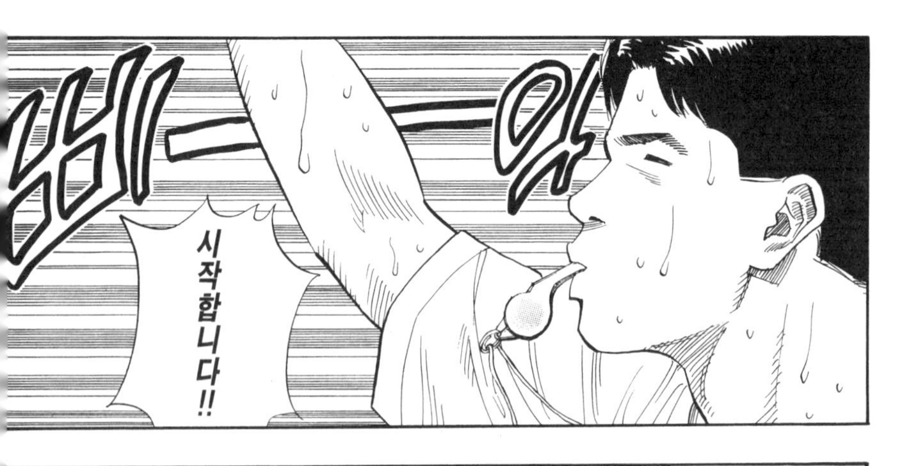
삐―――익
시작합니다!!

다다닷
좋아, 가자! 애들아!!
2·3 학년을 쓰러뜨리자!!
그래!!

힘내
1학년~
1학년
파이팅!!

힘내!!

소연아…
잘 봐줘.
이 천재
강백호의
활약을!

……
칫…
강백호의
코를 납작하게
해줘라,
대만아!

……

자
덤벼라.
강백호!!

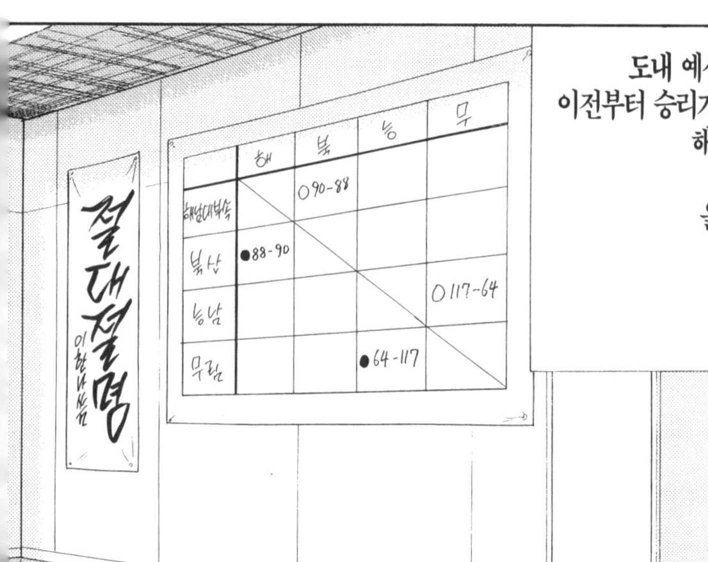
도내 예선 결승리그는
이전부터 승리가 유력시 되던
해남대부속고와
능남이 1승을
올려 리드했다.
절대절명
해
북
능
무
해남대부속
북산
능남
무림
○90-88
●88-90
○117-64
●64-117

한편ㅡ

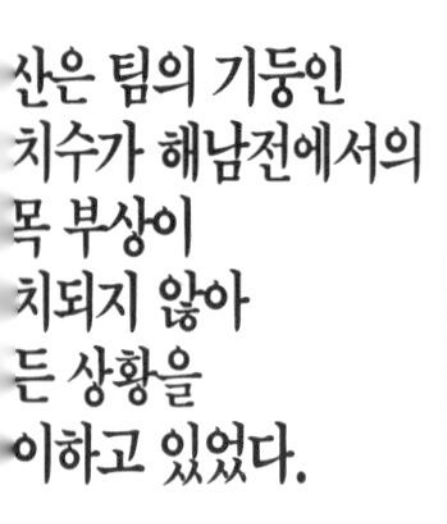
산은 팀의 기둥인
치수가 해남전에서의
목 부상이
치되지 않아
든 상황을
이하고 있었다.

전국대회
출전은
두 팀.
이미 1패한
북산에 있어서는
두 시합에서
전승을 거두는
것이 절대조건ㅡ.

제 2 시합을
앞두고
안감독의
뇌리에
떠오른 것은
으음…!
치수의
업 센터를
가줘야 할
백호였다.

해남전에서
통한의
패스 미스를 범한
강백호의
자신감 회복ㅡ
그리고
현시점에서의
강백호의
과제를 분명히
하는 것.

이것이 1학년
2 · 3학년 게임에
노리
안감독
목적이었
아마도…

그리고 그것은
해남의 남진모 감독이
홍익현을 투입해
하려고 했던 것과도
일치한다.

이상하잖아…?!

백호야! 좀더 안으로 들어가! 안으로!!
장신을 살리란 말야!!

알고 있다니까!!

응?!

윽…

턱
약

가라, 백호야!!

으…
씩

저런 수비를…. 과연 정대만이다!
강백호는 저곳에서 볼을 받아도 아무 것도 할 수가 없다.

슛은 덩크슛이랑 레이업밖에 못하니까요.
정대만을 뚫고 안으로 파고 들어갈 실력이 강백호에게는 없어…. 당연한 일이지만!
2·3학년
6

거꾸로 말하면
덩크를 할 수 있을 만큼
링에 가까운 위치까지
가지 못하면
강백호는 쓸모가
없는 거야.

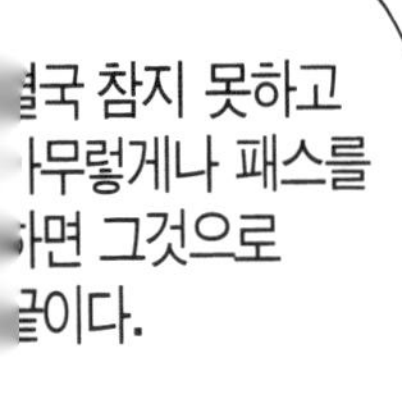

국 참지 못하고
무렇게나 패스를
면 그것으로
이다.

흥!!
팍
!!

아-앗!!

다
닷
속공!!

대만이는
그런 수비를
해주고
있는 것이다.

치-잇!!
두두두두

고오
숏은 절대 못 쏜다!!
파

타
악
!!

깍
악

우와,
서태웅!
저렇게
높이!!

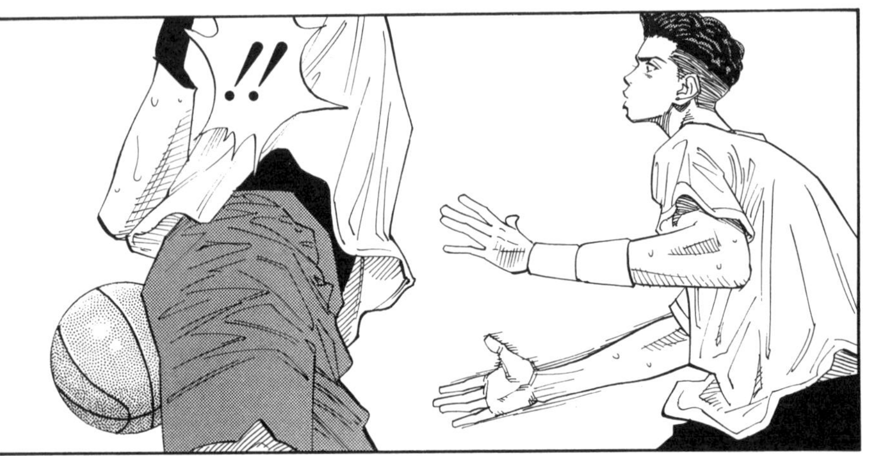
!!

악
나이스 패스!!

아—앗!!

3 학년
1 학년
젠장—!!
2 0 4 1 4

좋았어—!!
이녀석들!!

멋지다….

절묘해!!
……….

파앙

안돼!! 역시 파고들지 못하고 있어!!

정대만이 들어오고 나선 백호 녀석 아무것도 못하고 있어.
웅성웅성

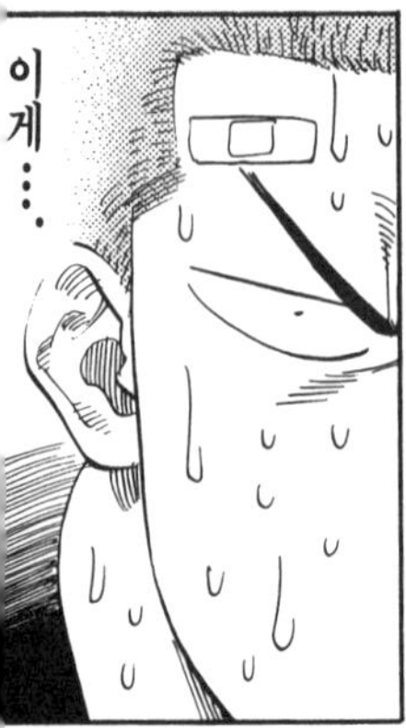
이게….

도내 최고의 센터인
성현준이나 고민구조차도
강백호에게 어느 정도는
당했었는데…
같은 팀에서
늘 보고 있다고는
하지만,
저렇게까지 멋지게
마크한다는 건….

대만이
녀석…
역시 뛰어난
바스켓 센스를
가지고 있다….

후웃!!

우와아앗!

삐—익

오펜스
파울-!!

뭐라고-?!

훗….

처음 채치수
대결했을 때
생각나게 하는군··
완전히 초보자인 주제에 거칠게 도전해 오는 것이 정말 똑같아.

……
음….
이제 보이기 시작하는군요.

빌어먹을 ―! 절대 지지 않을 거야, 정대만!!

#136 슛을 노려라

손 올려!!
수비 -!!
안으로
들어갔어!!
오케이!!

웃?!
응?

비켜!

네가 비켜!!

윽….
하이포스트에
두 명?!
어디에다
패스를….

저 녀석들,
뭐하는 거야?!

멍청아!
여기서
볼을 받아봤자
넌 아무것도
할 수 없어!!
뭐라고!
잘난 척
하지 말고
너야말로
비켜!!

고민하지 말고
서태웅에게
패스하면
틀림없어!!

!!

철썩

나이스 슛,
서태웅!!
2·3 학년
1 학년
20316

저 녀석이!!
강백호!!
너 방금 전 뭐랬어 …?
미안

강백호!!
타앗
오옷!!
정대만!
승부다!!
음!

강백호
개발
몸 비틀며
슛-!!!
휘익!
!!

스윽…
터억
!
쿵
쿠-웅
아앗!!
삐-약

나이스
패스!
강백호!!
괜찮아,
백호야!
얘들아
웃지마!

괜찮아!
창피해
하지 마!!

으….
멍청한 놈….
되지도
않을 짓을!

넌
골밑 가까운
곳에서 볼을
받지 않으면
안돼!
강백호!!
적의 말은
듣고 싶지
않아!
타박
타박

풋….

저런 꼴불견
슛을 보면
더 피곤해
진다니까.
뭣이?!

자아,
라스트
3분이야!
파이팅!!
2·3학년
1학년
22
16

앗?!
흐음…!
안돼!
여기서부턴
너무 멀어!!
그런 드리블
빠져나갈
있을
같으니
강백호
오펜스
차징!!
!!

멍청한 놈! 무작정 덩크만 노릴 셈이냐!!
그렇게 가다간 금방 퇴장당할 거다!!
의 말에 혹될 줄 구!!
링은 바로 저기다!!
거기서 슛을 노려봐!!
네 장신을 살려!!
와- 와- 와- 와-!
라스트 2분!!

철썩
...!!
와아아아
좋았어! 나이스 슛, 서태웅!!
시끄럿--!!
저거야, 바로 저거!
쳇…!

…………

그렇게 온몸에
힘이 들어가 있으면
들어갈 것도
들어가지 않아!!
시끄럿!!
어디에
던지는 거냐!
제대로 보고
슛을 하란
말야!!
크으-윽!!
대만아….
역시나
풋내기였어
….
엉망진창
이야.
시끄러!!
그렇게
간단히
덩크할 수
있는 게
아냐!!
라스트
1분!!

우웃!!
타앗

오옷!!

리바운드는
잡을 수 있어!
슛만 어떻게든
들어가면…!!

아아-
안돼!!
전혀
들어가질
않아!!
!!
음….

백호군도
자신의 과제가
보이기 시작했나
보군요….

대만이가
느끼게
해주었어요….

대만이
녀석….
!!
아아!!

속공!!

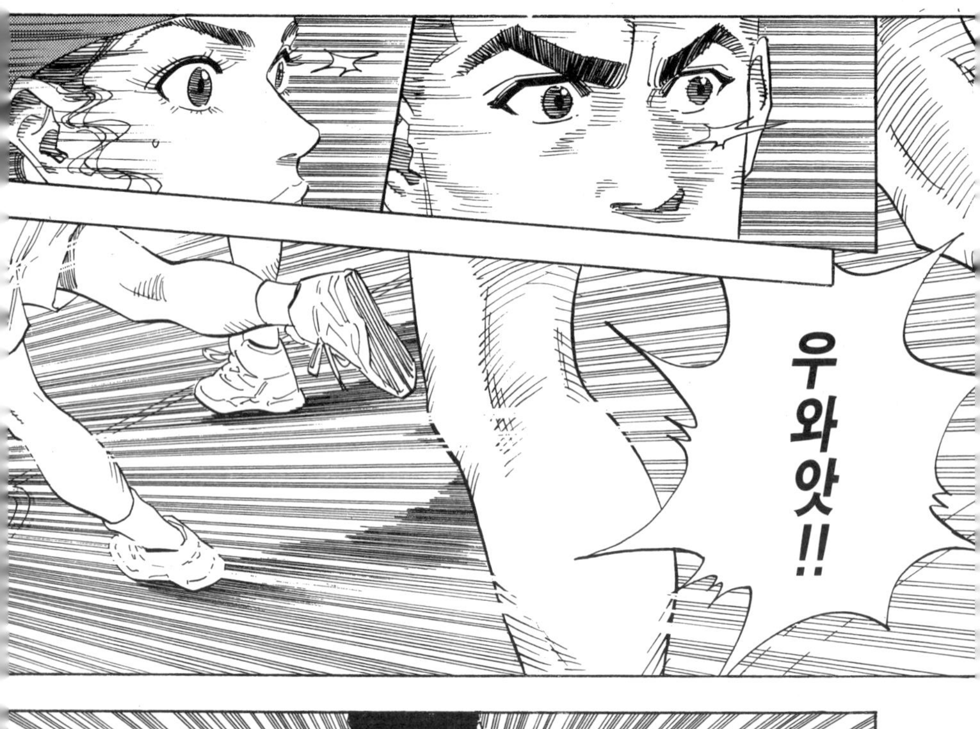
우와앗!!

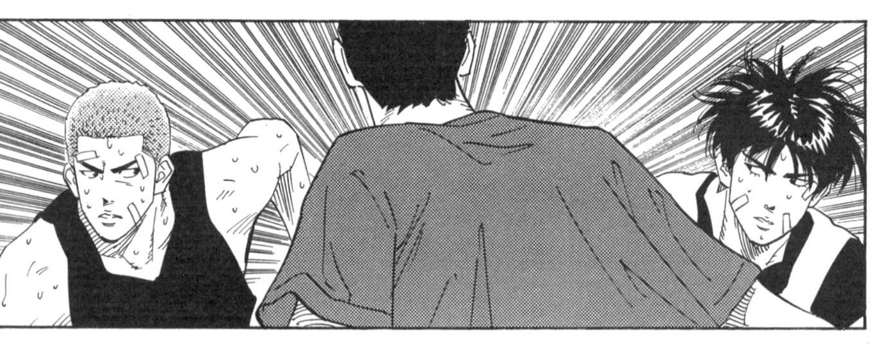

빠르다!!

!!

리턴!

나이스
어시스트!!

!?
우웃!!

!!
위험해 ─!!
크윽?!
!!
우와아아앗!!

12 SLAM DUNK(完)

SLAM
슬램덩크 완전판 프리미엄
DUNK

슬램덩크 완전판 프리미엄 12

2007년 9월 23일 1판 1쇄 발행　2023년 2월 14일 2판 3쇄 발행

•

저자 ······· TAKEHIKO INOUE

•

발행인 : 황민호
콘텐츠1사업본부장 : 이봉석
책임편집 : 김정택/장숙희
발행처 : 대원씨아이(주)

•

서울특별시 용산구 한강대로 15길 9-12
전화 : 2071-2000 FAX : 797-1023
1992년 5월 11일 등록 제 1992-000026호

•

•

ISBN 979-11-6944-807-9 07830
ISBN 979-11-6944-793-5 (세트)

•